献给 达西和凯兰

图书在版编目（CIP）数据 奇怪的蛋/（英）格雷维特著；萝卜探长译.-- 南昌：二十一世纪出版社，2014.1 ISBN 978-7-5391-9348-9 Ⅰ.①奇… Ⅱ.①格…②萝… Ⅲ.①儿童文学—图画故事—英国—现代 Ⅳ.①I561.85 中国版本图书馆CIP数据核字(2013)第296167号

版权合同登记号：14-2013-428

奇怪的蛋 [英]埃米莉·格雷维特/作 萝卜探长/译 编辑统筹：魏钢强 责任编辑：雍敏 美术编辑：费广 出版发行：二十一世纪出版社 出版人：张秋林 经销：全国各地书店 印刷：北京尚唐印刷包装有限公司 版次：2014年1月第1版 2014年7月第2次印刷 书号：ISBN 978-7-5391-9348-9 定价：28.00元 赣版权登字 04-2013-799

1-86512506

The Odd Egg

奇怪的蛋

[英]埃米莉 · 格雷维特

萝卜探长 译

二十一世纪出版社
21st Century Publishing House

所有的鸟都有了一个蛋。

就是鸭子还没有。

后来，鸭子找到了一个蛋！

他认为这是全世界最漂亮的蛋。

1
1
世上
最好的蛋
1

那个蛋太奇怪啦！
嘻嘻
孵不出来的！
哈哈！
一点也不漂亮！
蛋类识别指南

但其他的鸟却不这么认为。

然后……

等——啊——

绘本创作工作室出品

杨忠监制

总策划：中央美术学院 城市设计学院 绘本创作工作室

图书在版编目（CIP）数据

鱼姑娘 / 向华改编；绘本创作工作室绘；
— 北京：北京联合出版公司，2015.2
（暖房子华人原创绘本 . 中国民间童话系列）
ISBN 978-7-5502-4395-8

Ⅰ. ①鱼… Ⅱ. ①向… ②绘…
Ⅲ. ①儿童文学—图画故事—中国—当代 Ⅳ. ① I287.8

中国版本图书馆 CIP 数据核字（2015）第 000900 号

暖房子华人原创绘本
中国民间童话系列
鱼姑娘

向华 / 改编　绘本创作工作室 / 绘

项目策划 / 禹田文化　**责任编辑** / 牛炜征　刘冰远　**项目编辑** / 王义凡　刘　扬　殷学连　**美术指导** / 田　宇　**特别支持** / 董亚楠
本书绘图 / 田　宇　何丹霓　植燕华　伍圣琴　刘含露　**装帧设计** / 大　娟　**内文设计** / 常　跃

北京联合出版公司出版
（北京市西城区德外大街 83 号楼 9 层 100088）
北京市盛通印刷股份有限公司　印刷
新华书店经销
总字数 8 千　285mm×195mm 16 开　2.375 印张
2015 年 2 月第 1 版　2015 年 2 月第 1 次印刷
ISBN 978-7-5502-4395-8
定价：36.00 元
退换声明：若有印刷质量问题，请及时和印务部门（010-88356856）联系退换。

鱼姑娘

傈僳族

向华／改编　　绘本创作工作室／绘

北京联合出版公司
Beijing United Publishing Co.,Ltd.

在大江边住着一个小伙子，名叫芦笙。他从小失去父母，靠捞鱼过日子。

芦笙真的会吹芦笙，还吹得不赖呢，人也长得漂亮。可别的本事他就没有了，成天只喜欢吹吹芦笙、聊聊闲话，过着三天打鱼两天晒网的日子，穷得家里面空空荡荡，到现在还娶不上媳妇。

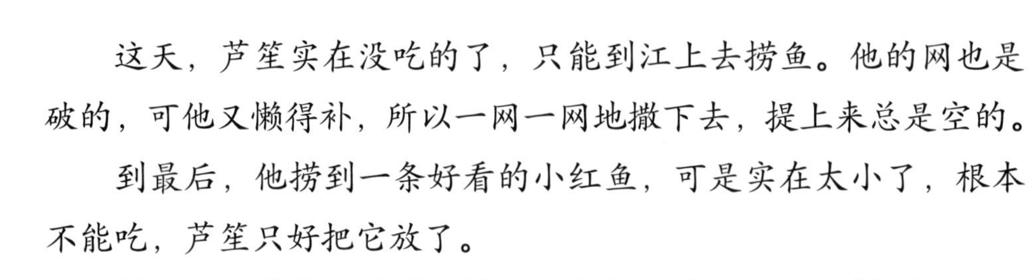

这天，芦笙实在没吃的了，只能到江上去捞鱼。他的网也是破的，可他又懒得补，所以一网一网地撒下去，提上来总是空的。

到最后，他捞到一条好看的小红鱼，可是实在太小了，根本不能吃，芦笙只好把它放了。

第二天，芦笙继续撒网捞鱼，提起网来，发现又捞到了那条小红鱼，只好又放走了，饿着肚子回家。

第三天的结果还是一样。芦笙捧着小红鱼说："哎呀，我得把你带走，不然再捞几天还是你，我就要饿死了。"

芦笙把小红鱼带回家，用一只破碗养着。

神奇的事发生了。当芦笙出门闲逛时，小红鱼变成漂亮的鱼姑娘，悄悄给他做饭吃。芦笙家里没有菜，没有米，鱼姑娘向空中招招手，鱼米蔬菜就会自动飞进锅里。

芦笙回家后发现有这么多饭菜，想也没想就吃个精光，他实在是太饿了。

以后接连几天都有好吃好喝的摆在桌上，这可真奇怪。芦笙想搞清楚是怎么回事，于是躲在窗外偷看，这才发现了小红鱼的秘密。

芦笙跑进屋拉着鱼姑娘的袖子，求鱼姑娘留下来给他当媳妇，鱼姑娘大大方方地答应了。

芦笙跟着鱼姑娘过日子，每天有吃有喝，满心欢喜。

鱼姑娘叫芦笙打一只木柜子，芦笙问："咱们家穷，打柜子装什么呢？"鱼姑娘说："我是你媳妇了，听媳妇的，叫你打你就打吧。"

柜子打好了，鱼姑娘让芦笙扒在柜门上听。先是听见"哗啦哗啦"的流水声，后来又听到"嗒嗒嗒嗒"的蹄子声。

鱼姑娘说："可以了，打开看看吧。"

一开柜门，"呼啦"一下，从里面跑出来数不清的牛、马、羊，都长着长长的、光滑的双角。

寨子里的老辈人认得，说："这是江里龙王的牲口啊！"

于是，芦笙家牛马成群，白羊满坡，过上了富足的日子。

寨子前面对着大江，后面靠着高山。山上有个魔王，魔王的女儿看上芦笙了。

一天，芦笙家的一只小羊走丢了。芦笙上山寻找，找来找去，遇到了魔王的女儿，她正抱着小羊。

芦笙说："好姑娘，把羊还给我吧。"

"我正想喝鲜红鲜红的羊血，你家牲口那么多，舍不得送我一只吗？"魔王的女儿媚眼含笑，芦笙立刻就答应了。

"我早就听说过你了，"魔王的女儿笑着说，"人人都说，江边的芦笙人长得帅，牛羊又多，还会吹芦笙。你吹一曲给我听听吧。"

芦笙不知道，魔王的女儿正在对他施魔法。吹芦笙的时候，他越吹越迷糊，越吹越觉得只有魔王的女儿说话最中听。

魔王的女儿盯着芦笙的眼睛说："你媳妇是个鱼精，快把她赶走吧！"

芦笙脑子迷糊了，气呼呼地赶回家，进屋就摔锅砸碗。鱼姑娘问他怎么了，芦笙对鱼姑娘嚷："臭鱼烂鱼你快走！"

他一连说了三遍，鱼姑娘起身走到门口，又转回头问："芦笙啊，你真的要我走吗？"

芦笙说："臭鱼烂鱼你快走！"

鱼姑娘只好走出家门。

鱼姑娘故意慢慢走，中了邪的芦笙却怕她拖延，跟在后面一再催赶。

走到江边，江水沾湿了鱼姑娘的鞋。鱼姑娘站住脚问："芦笙啊，你真的要我走吗？"

芦笙硬着心肠说："臭鱼烂鱼你快走！"

鱼姑娘叹口气，迈步走进江里。江水没过她的腿，没过她的腰，没过她的肩。鱼姑娘远远地问站在岸上的芦笙："芦笙呀，你真的要我走吗？"

"臭鱼烂鱼你快走！"回答她的还是那句话。

鱼姑娘伤心地低下头，沉入水里不见了。

忽然，“嗒嗒嗒嗒”的蹄声震天动地。不得了，芦笙家的牛、马、羊飞奔着冲过来，“扑通扑通”地往江水里面跳。

“别走！别走！你们是我的！”

芦笙赶紧拦它们，可是凡人哪里拦得住龙王的牲口呢？

一瞬间，芦笙又变得什么都没有了。

“没关系，”他说，“至少还有魔王的女儿喜欢我。”

芦笙上山去找魔王的女儿，告诉她已经把媳妇赶走了。

魔王的女儿看看芦笙身后，问他：“你的牛马羊呢？”

“牲口跟媳妇走了。”

魔王的女儿顿时大发雷霆，她每天都要喝新鲜的牲畜血，芦笙要是不能提供，要他有什么用！

芦笙说：“我吹芦笙给你听……”

魔王的女儿却说：“没有用的穷鬼，快走快走！”

芦笙被赶下山，神志立刻清醒了。他好生后悔，来到江边放声大哭。

江水苍苍茫茫，一眼望不见对岸。芦笙心里想媳妇，想一回哭一回，哭了三天三夜。

一只蟾蜍见他这么悲伤，就说："芦笙啊，我帮帮你吧，但是你不许笑！"芦笙答应了。

于是蟾蜍俯身喝江水，喝呀喝呀，江水眼看着浅了一半，蟾蜍的肚子胀得像皮球，样子太可笑了。

芦笙忍不住哈哈大笑，蟾蜍生气了，把江水"哇"地吐出来，江面依然苍茫一片。

芦笙傻了眼，又哭开了。

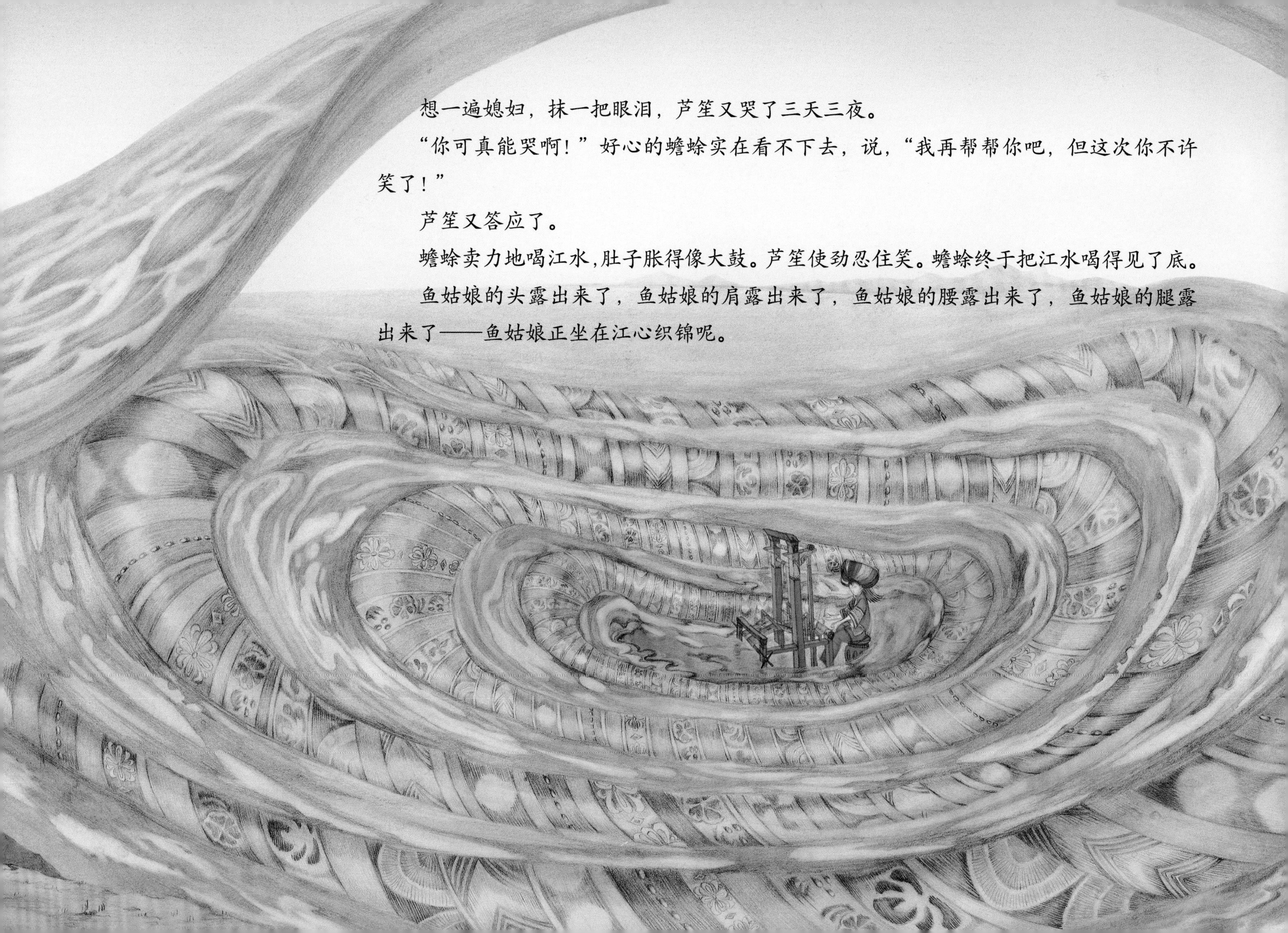

想一遍媳妇，抹一把眼泪，芦笙又哭了三天三夜。

“你可真能哭啊！”好心的蟾蜍实在看不下去，说，“我再帮帮你吧，但这次你不许笑了！”

芦笙又答应了。

蟾蜍卖力地喝江水，肚子胀得像大鼓。芦笙使劲忍住笑。蟾蜍终于把江水喝得见了底。

鱼姑娘的头露出来了，鱼姑娘的肩露出来了，鱼姑娘的腰露出来了，鱼姑娘的腿露出来了——鱼姑娘正坐在江心织锦呢。

芦笙跳下江堤，跨过江底，跑到江心，拉住鱼姑娘的袖子。

“媳妇，媳妇，快跟我回家吧！”

鱼姑娘说：“我本是龙王的女儿，喜欢听你吹芦笙，经常看见你拿着那么破的一张网在江面上捞鱼。我打量你是一个老实人，想和你好好过日子，谁知你会听信魔王女儿的话呢？”

芦笙说：“我不搭理她了！”

“已经晚了，”鱼姑娘指着织机说，“现在我要和龙子结婚了，这不，正在织嫁妆呢！”

鱼姑娘织的锦缎太好看了，像映红半条江水的云霞。芦笙看鱼姑娘又漂亮，又手巧，越看越懊悔，眼泪吧嗒吧嗒往下落。

“唉，”鱼姑娘叹口气说，“我已经不是你媳妇了，你哭得再凶，也不能让江水倒着流啊。”

鱼姑娘从织机上撕下一条白色的锦缎，送给芦笙当纪念。“迎亲的人已经来了，”她说，“你该走了。”

说着，江水漫上来，像最初一样浩浩荡荡，波涛将芦笙推上岸。

江水浪涛中有龙王嫁女的队伍，敲的敲，打的打，嘀嘀嗒嗒吹喇叭。
芦笙把白锦缎缠在头上哭，别人出嫁，他像在哭丧。
哭也没用啊，也许真像鱼姑娘说的那样：一切都晚了！

囍

囍